Αρκάς, Ζευγάρια
© Αρκάς, 2015

© για την έκδοση στην ελληνική γλώσσα
«γράμματα» 2015

Κεντρική διάθεση
Εκδόσεις «γράμματα»
Γραβιάς 3-5, Αθήνα 10678, τηλ 210.38.07.689

ISBN: 978-960-329-565-5

Άρκάs

ZEYTAPIA

ΓΙΑ ΠΕΣ ΜΟΥ, ΑΝ ΠΕΘΑΙΝΑ ΕΓΩ, ΘΑ ΞΑΝΑΠΑΝΤΡΕΥΟΣΟΥΝ;

ΠΟΥ ΝΑ ΞΕΡΩ;... ΙΣΩΣ.

ΚΑΙ ΘΑ ΖΟΥΣΕΣ ΜΑΖΙ ΤΗΣ ΕΔΩ; ΣΤΟ ΣΠΙΤΙ ΜΑΣ;

Ε, ΠΟΥ ΑΛΛΟΥ;

ΚΑΙ ΘΑ ΤΗΣ ΕΔΙΝΕΣ ΝΑ ΦΟΡΑΕΙ ΤΑ ΦΟΡΕΜΑΤΑ ΜΟΥ;

ΔΕ ΝΟΜΙΖΩ... ΦΑΝΤΑΖΟΜΑΙ ΘΑ ΕΙΧΕ ΔΙΚΑ ΤΗΣ.

ΤΙΣ ΓΟΥΝΕΣ ΜΟΥ, ΟΜΩΣ;... ΘΑ ΤΗΣ ΧΑΡΙΖΕΣ ΤΙΣ ΓΟΥΝΕΣ ΜΟ

ΑΠΟΚΛΕΙΕΤΑΙ!... ΕΙΝΑΙ ΟΙΚΟΛΟΓΟΣ.

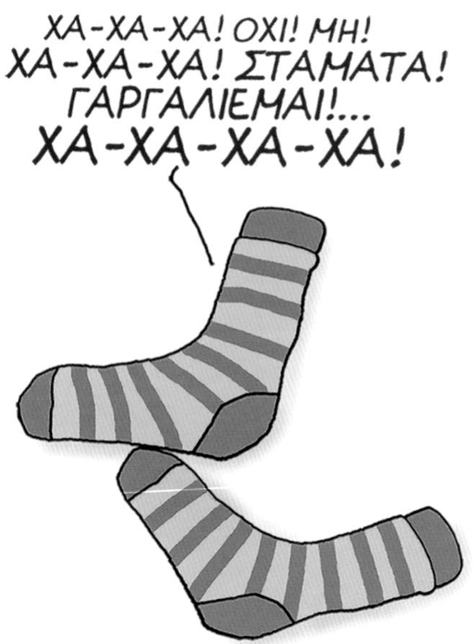
ΧΑ-ΧΑ-ΧΑ! ΟΧΙ! ΜΗ!
ΧΑ-ΧΑ-ΧΑ! ΣΤΑΜΑΤΑ!
ΓΑΡΓΑΛΙΕΜΑΙ!...
ΧΑ-ΧΑ-ΧΑ-ΧΑ!

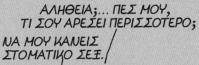

Σ ΜΟΥ, ΣΟΥ ΑΡΕΣΕΙ ΑΚΟΜΑ
ΤΟ ΣΕΞ ΜΑΖΙ ΜΟΥ;

Υ ΑΡΕΣΕΙ.

ΑΛΗΘΕΙΑ;... ΠΕΣ ΜΟΥ,
ΤΙ ΣΟΥ ΑΡΕΣΕΙ ΠΕΡΙΣΣΟΤΕΡΟ;

ΝΑ ΜΟΥ ΚΑΝΕΙΣ
ΣΤΟΜΑΤΙΚΟ ΣΕΞ.

ΓΙΑΤΙ;

ΓΙΑΤΙ ΕΙΝΑΙ ΟΙ ΜΟΝΕΣ
ΣΤΙΓΜΕΣ ΠΟΥ ΔΕΝ ΜΙΛΑΣ.

Άρκάς

ΟΧΙ ΑΠΟΨΕ! ΝΥΣΤΑΖΩ!...
ΕΙΜΑΙ ΑΠ᾽ ΤΟ ΠΡΩΙ ΣΤΟ ΠΟΔΙ!

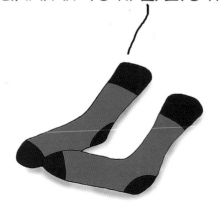

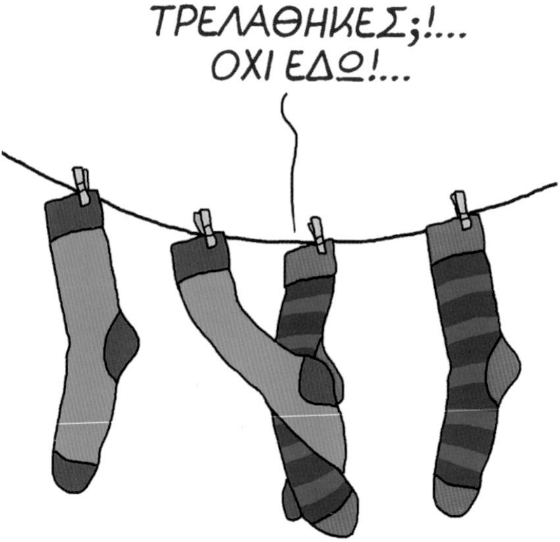
ΤΡΕΛΑΘΗΚΕΣ;!...
ΟΧΙ ΕΔΩ!...

Valentine's Day

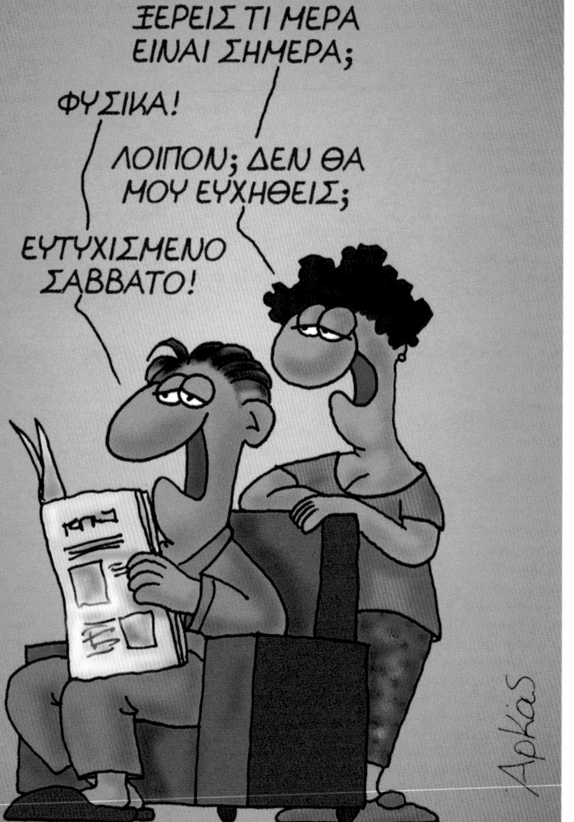

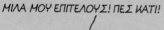

ΜΙΛΑ ΜΟΥ ΕΠΙΤΕΛΟΥΣ! ΠΕΣ ΚΑΤΙ!

ΤΙ ΝΑ ΠΩ;

ΔΕΝ ΞΕΡΩ, ΠΕΣ ΚΑΤΙ ΠΟΥ ΘΑ ΜΕ ΚΑΝΕΙ ΕΥΤΥΧΙΣΜΕΝΗ!... Ή ΕΣΤΩ ΠΕΣ ΚΑΤΙ ΠΟΥ ΘΑ ΜΕ ΚΑΝΕΙ ΔΥΣΤΥΧΙΣΜΕΝΗ!

ΔΗΛΑΔΗ ΘΕΣ ΝΑ ΠΩ ΔΥΟ ΠΡΑΓΜΑΤΑ.

ΩΡΑΙΑ, ΠΕΣ ΕΝΑ ΠΟΥ ΘΑ ΜΕ ΚΑΝΕΙ ΤΑΥΤΟΧΡΟΝΑ ΕΥΤΥΧΙΣΜΕΝΗ ΚΑΙ ΔΥΣΤΥΧΙΣΜΕΝΗ!

ΕΝΤΑΞΕΙ...

...ΚΑΝΕΙΣ ΠΟΛΥ ΚΑΛΥΤΕΡΟ ΣΕΞ ΑΠΟ ΤΗ ΦΙΛΗ ΣΟΥ ΤΗ ΜΑΙΡΗ.

Απκας

ΠΟΙΟΣ ΞΕΡΕΙ ΣΕ ΠΟΙΟ ΣΥΡΤΑΡΙ
ΟΡΓΙΑΖΕΙ ΠΑΛΙ... Η ΤΣΟΥΛΑ!

ΤΙ ΘΑ ΓΙΝΕΙ Μ' ΕΜΑΣ;
ΩΣ ΠΟΤΕ ΘΑ ΜΕ ΕΧΕΙΣ ΕΤΣΙ;
ΣΕ ΠΑΡΑΚΑΛΩ,
ΜΗΝ ΑΡΧΙΖΕΙΣ ΠΑΛΙ!

ΒΡΙΣΕ ΜΕ!... ΠΕΣ ΜΕ
ΒΡΩΜΙΑΡΑ!...

ΔΕΝ ΕΙΜΑΙ ΤΟΣΟ ΑΜΟΡΦΩΤΟΣ ΟΣΟ ΝΟΜΙΖΕΙΣ!

Α, ΟΧΙ;... ΕΝΑ ΒΙΒΛΙΟ ΕΧΕΙΣ
ΠΙΑΣΕΙ ΣΤΑ ΧΕΡΙΑ ΣΟΥ, ΚΙ ΑΥΤΟ ΔΕΝ
ΚΑΤΑΦΕΡΕΣ ΝΑ ΤΟ ΤΕΛΕΙΩΣΕΙΣ!...

...ΕΧΕΙΣ ΧΡΩΜΑΤΙΣΕΙ ΤΟ ΜΙΣΟ!

ΑΝ ΚΕΡΔΙΣΕΙΣ ΤΟ ΛΟΤΤΟ ΘΕΛΩ ΝΑ ΜΟΥ ΚΑΝΕΙΣ ΔΩΡΟ ΕΝΑ ΛΙΦΤΙΝΓΚ ΚΑΙ ΜΙΑ ΠΛΑΣΤΙΚΗ ΣΤΗΘΟΥΣ!

ΚΑΛΑ...

...ΘΑ ΑΓΟΡΑΣΩ ΚΑΙ ΚΑΙΝΟΥΡΓΙΕΣ ΖΑΝΤΕΣ ΓΙΑ ΤΟ ΑΜΑΞΙ ΜΟΥ.

ΘΑ ΕΙΣΑΙ ΠΑΜΠΛΟΥΤΟΣ! ΓΙΑΤΙ ΝΑ ΜΗΝ ΑΓΟΡΑΣΕΙΣ ΚΑΙΝΟΥΡΓΙΟ ΑΜΑΞΙ;

ΑΚΡΙΒΩΣ!

Αρκάς

ΟΙ ΓΕΙΤΟΝΕΣ ΜΟΥ ΚΑΝΟΥΝ ΦΟΒΕΡΗ ΦΑΣΑΡΙΑ ΤΙΣ ΝΥΧΤΕΣ! Ο ΔΙΠΛΑΝΟΣ ΜΟΥ ΟΥΡΛΙΑΖΕΙ, Ο ΑΠΟ ΠΑΝΩ ΧΤΥΠΑΕΙ ΤΑ ΠΑΤΩΜΑΤΑ ΚΑΙ Ο ΑΠΕΝΑΝΤΙ ΑΝΟΙΓΕΙ ΚΑΘΕ ΤΟΣΟ ΤΗΝ ΠΟΡΤΑ ΤΟΥ ΚΑΙ ΒΑΖΕΙ ΤΙΣ ΦΩΝΕΣ!... ΕΥΤΥΧΩΣ ΕΓΩ ΠΑΙΖΩ ΤΟ ΤΡΟΜΠΟΝΙ ΜΟΥ ΚΑΙ ΔΕΝ ΑΚΟΥΩ ΟΛΟΝ ΑΥΤΟ ΤΟΝ ΘΟΡΥΒΟ!

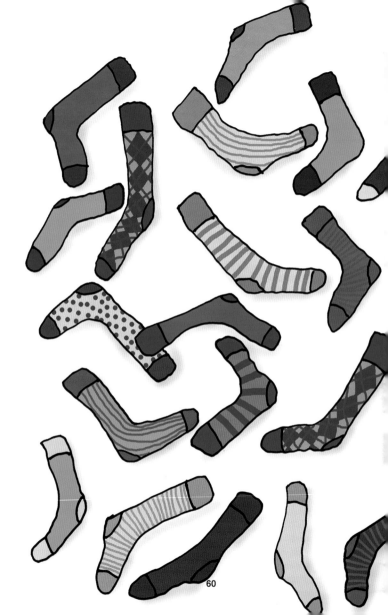

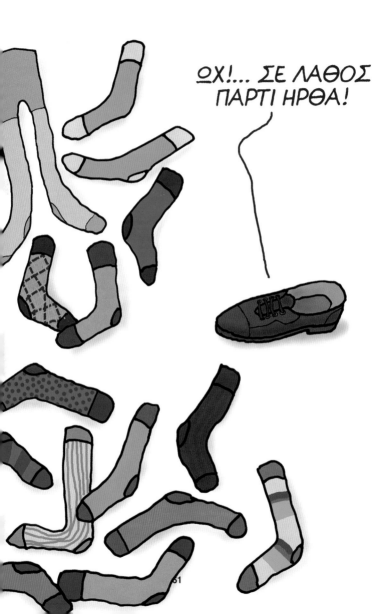

Ο Αρκάς στο Internet **www.arkas.gr**

www.protoporia.gr

ΤΟ ΜΕΓΑΛΟ ΗΛΕΚΤΡΟΝΙΚΟ ΒΙΒΛΙΟΠΩΛΕΙΟ